Gola! Pobawmy się.

DROMOR

MARRIOTT, Joe

Please return this item by the date above.
You can renew it at any library, or via call-point
028 9032 7515, or online
www.librariesni.org.uk

Mantra Lingua

Mam na imię Chen
i codziennie gram
w piłkę nożną.

I'm Chen and I play
football every day.

Thwack   boing

Goal!

Let's score!

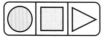

Nazywam się Daniella.
Uwielbiam grać
w koszykówkę
z moimi przyjaciółmi.

My name's Daniella.
I love playing basketball
with my friends.

Boing

through the hoop!

Let's shoot!

Mam na imię Chet
i uwielbiam grać w baseballa
z moją drużyną.

I'm Chet and I love playing
baseball with my team.

WHACK

LET'S CATCH!

THUNK ○ *CAUGHT!*

Nazywam się Faris. Ścigam się
z tatą na wielbłądzie.

My name's Faris. Daddy and I are
racing on a camel.

Humpety!
Bumpety!
Thumpety!

Let's ride!

Mam na imię Katy
i puszczam latawca
z samego wzgórza.

I'm Katy and I fly my
kite at the top of the hill.

Let's fly!

Whoosh!

zoom!

Zip!

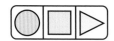

Nazywam się Pierre. Biegam najszybciej w mojej klasie.

My name's Pierre. I'm the fastest runner in my class.

Huff puff whiz whistle!

Let's race!

Mam na imię Nadia
i uwielbiam pływać w chłodnej
wodzie z moimi przyjaciółmi.

I'm Nadia and I love
swimming with my friends
in the cool water.

splish

splash
sploosh!

Let's dive!

Nazywam się James.
W weekendy gram
w tenisa z moją rodziną.

My name's James.
I play tennis with my family
every weekend.

Whack!

Wham!

Boing!

SLAM!

Let's serve!

Mam na imię Marta
i uczę się technik walki
dżudo na siłowni.

I'm Marta and I'm
learning judo in the gym.

Spin!

Chop!

Flip!

Flop!

Let's throw!

Mam na imię Tomas i bardzo
szybko jeżdżę na nartach.

I'm Tomas and I can ski
really fast.

Swish! Swerve!

Whiiiiiiiiiiiizzzzzzzzzz zzz!

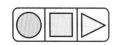

Let's ski!

Nazywam się Nitesz. Uwielbiam grać w krykieta z przyjaciółmi i moją rodziną.

I'm Nitesh and I love playing cricket with my friends and family.

Whoooosh!

Thwaaacc c c ckk!

Let's bowl!